JE SAIS TOUT

LA DANSE

 UN PEU D'HISTOIRE
 ANECDOTES
 COMPARAISONS
 TROUVE L'INTRUS
 UN BRIN DE CULTURE
 LE SAVAIS-TU ?
 ENVIRONNEMENT
 ASSOCIATIONS

REPÈRE-TOI FACILEMENT GRÂCE AUX PICTOGRAMMES !

La danse serait la première forme d'art à avoir existé. Il y a fort à parier que l'histoire de la danse est aussi ancienne que l'apparition de l'homme. Des dessins tracés dans des grottes préhistoriques témoignent que la danse existait déjà à cette époque. La danse primitive servait surtout à implorer les dieux, c'est-à-dire à demander leur aide. On pourrait comparer la danse primitive à une prière. Par exemple, on pratiquait la danse de la pluie pour recevoir des précipitations abondantes afin d'éviter une sécheresse.

© michael sheehan

4

La danse africaine
existe depuis des milliers d'années.
Elle s'inspire des faits et gestes de la vie
quotidienne et des animaux. Le danseur
exécute des mouvements acrobatiques rythmés
par les percussions. Il puise son énergie dans
le sol pour la transmettre à tout son corps.
Il a les pieds ouverts de façon à former
un arc de cercle. Le cercle, un symbole
important de la danse africaine,
représente la spiritualité.

© testing

La gigue est une danse qui s'exécute principalement avec les pieds. Elle serait d'origine anglaise ou irlandaise. Le rythme de la gigue va de rapide à très rapide. Au Canada, et principalement au Québec, ce type de danse était très populaire à la fin du 19e siècle et au début du 20e siècle. La gigue fait partie des traditions et elle est toujours présente au répertoire de la danse folklorique québécoise. Plusieurs chansons du poète, conteur et chansonnier Gilles Vigneault s'inspirent de cette danse.

Le mot *polka* peut désigner plusieurs choses. Laquelle de ces définitions est fausse ?

La polka est :

❶ Un outil à percussion utilisé au Moyen Âge par les tailleurs de pierre.

❷ Une danse traditionnelle tchèque ou polonaise, d'allure vive, qui se déroule entre deux partenaires (généralement un homme et une femme).

❸ Un gâteau composé de pâte à choux et de crème pâtissière.

❹ Un vélo rudimentaire à trois roues.

La danse classique (ou ballet) est née au 15e siècle en Italie. C'est un art qui exige de la souplesse, de la précision et de la grâce. Le ballet se compose de plusieurs techniques et mouvements spécifiques. Savais-tu que le mot *ballet* a trois significations en danse?

Ballet veut dire « danse classique », comme tu le sais déjà. Un ballet désigne également une troupe de danseurs qui présente de la danse classique, et enfin, un ballet est aussi un spectacle dans lequel est présenté... du *ballet*!

11

Vaslav Nijinski est un danseur et chorégraphe russe d'origine polonaise. Il fut le danseur étoile des Ballets russes au début du 20e siècle. Encore aujourd'hui, Nijinski est considéré comme l'un des meilleurs danseurs de tous les temps. Reconnu pour ses sauts légendaires, il impressionne également par sa virtuosité et l'authenticité de ses interprétations. Au-delà de son talent, Nijinski a marqué la danse classique par son style moderne qui a inspiré beaucoup d'artistes après lui.

La danse à claquettes est un style de danse très rythmée qui provient des États-Unis. Elle est apparue au début du 19ᵉ siècle. Les claquettes sont un mélange de danse africaine et de gigue irlandaise. Traditionnellement, les danseurs donnaient des coups au sol avec leurs sabots, leurs bottes ou encore pieds nus. Avec le temps, on a fixé des fers sous leurs chaussures. Les danseurs sont donc aussi des percussionnistes, car ils créent du rythme avec leurs souliers!

Le breakdancing,
breaking ou B-boying

La hype

Le popping

Le locking

ASSOCIATIONS

La danse hip-hop regroupe plusieurs styles, tous issus d'un mouvement contestataire des années 1970-80 aux États-Unis. Peux-tu associer ces différents styles à leur description respective ?

❶ Style emblématique de la culture hip-hop, cette danse se caractérise par des mouvements acrobatiques au sol. Son nom désigne le moment où la musique ne laisse entendre que la basse et la batterie.

❷ Mélange d'acrobaties et de claquettes, cette danse décompose le mouvement comme si elle faisait des arrêts sur image. Ce style se caractérise par des pointés et des roulés de bras, de mains, de jambes et de pieds et ce, de manière très rythmée et entrecoupée de pauses. Les expressions du visage sont très importantes.

❸ Cette danse est basée sur la contraction musculaire très rapide d'un endroit précis du corps. L'arrière du bras, la poitrine, les jambes et le cou sont les parties les plus utilisées. Les mouvements donnent l'impression que le danseur reçoit des décharges électriques ou qu'il est un robot.

❹ Cette danse privilégie les mouvements d'épaules et les sauts sur place. Le danseur effectue des transferts de poids de gauche à droite et d'avant en arrière, de manière rapide et souple.

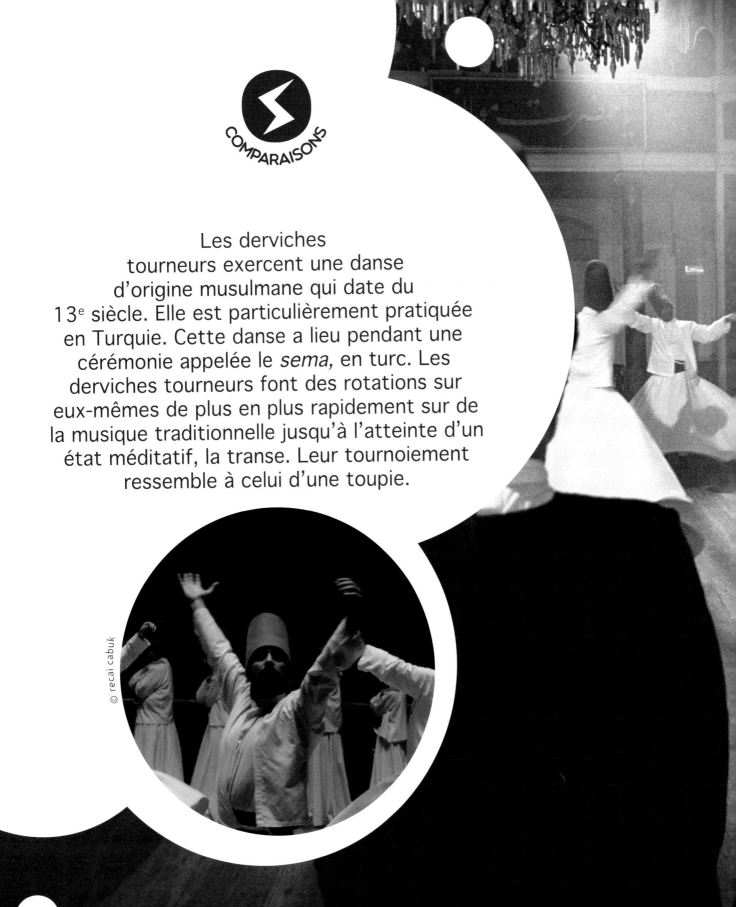

Les derviches tourneurs exercent une danse d'origine musulmane qui date du 13e siècle. Elle est particulièrement pratiquée en Turquie. Cette danse a lieu pendant une cérémonie appelée le *sema,* en turc. Les derviches tourneurs font des rotations sur eux-mêmes de plus en plus rapidement sur de la musique traditionnelle jusqu'à l'atteinte d'un état méditatif, la transe. Leur tournoiement ressemble à celui d'une toupie.

© recai cabuk

La danse contemporaine s'inspire
de plusieurs styles, dont le ballet classique
et la danse moderne. La danse contemporaine,
dont le nom signifie danse *actuelle,* naît au début
du 20e siècle en opposition au ballet classique.
La Québécoise Louise Lecavalier en est une figure
emblématique. Elle est la danseuse étoile de la troupe
La La La Human Steps pendant près de vingt ans.
En 1990, elle collabore, en tant que danseuse,
avec le célèbre chanteur David Bowie pour
la tournée *Sound+Vision.*

© 360b

L'Américaine Anna Halprin
est une chorégraphe d'avant-
garde qui a beaucoup influencé
la danse contemporaine et les arts
plastiques. Il y a trente ans, elle a créé
un événement annuel qui existe toujours
aujourd'hui et a lieu dans de nombreux pays
dans le monde. La *Planetary Dance* (la
danse planétaire) est un rassemblement
où les gens sont invités à danser pour
la paix et l'engagement envers la
sauvegarde de la planète.

La danse traditionnelle chinoise existe depuis des milliers d'années. La danse du dragon est l'une des plus connues de ce pays. Elle est spectaculaire! La manipulation de la structure géante du dragon exige la présence d'une dizaine de danseurs. Comme cela requiert beaucoup de force, d'habileté et d'endurance, on fait souvent appel à des spécialistes des arts martiaux.

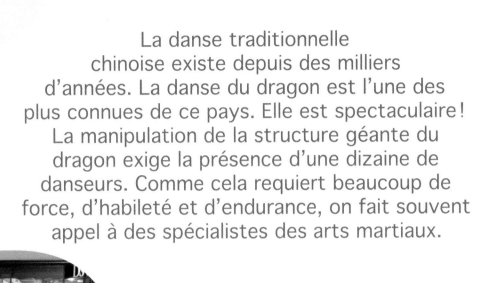

© Mariusz S. Jurgielewicz

© Tam Nguyen

Le mot *valse* vient de l'allemand *walzer* qui signifie « tourner en cercle ». La valse se danse à deux et a généralement trois temps. Le couple de danseurs se déplace en formant des cercles. Savais-tu que dans les contes, lorsque les princes et les princesses vont au bal, c'est la valse qu'ils dansent ?

La mélodie du bonheur
(The Sound of Music)

Annie

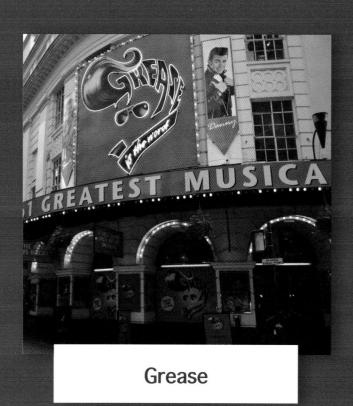

Grease

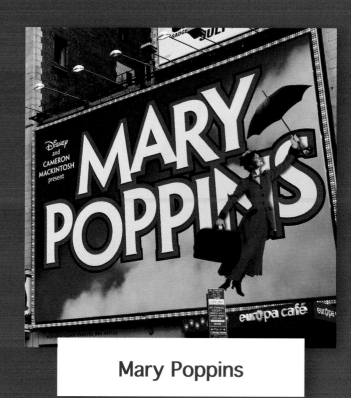

Mary Poppins

La comédie musicale ressemble au théâtre, mais en plus de jouer, les acteurs dansent et chantent. Certains films à succès sont des adaptations de comédies musicales. Tente d'associer l'histoire avec le titre de la comédie musicale.

1 Une petite orpheline joyeuse et espiègle entre par un heureux hasard dans la vie d'un milliardaire qui finira par s'attacher à elle et voudra l'adopter.

2 La famille Banks ne sait plus quoi faire quand sa gardienne lui apprend qu'elle s'en ira dans huit jours. Les parents, très occupés par leur travail, ne peuvent s'occuper de leurs deux enfants, Jane et Michaël. Les enfants passent une petite annonce pour trouver une gouvernante. Dès le lendemain, une femme répond à l'annonce et vient à leur rencontre. Elle les entraînera dans un monde merveilleux.

3 Une jeune femme, Maria, qui se prépare à devenir religieuse, est envoyée par son couvent dans une famille. Le père, le capitaine Von Trapp, est veuf et a sept enfants. Il a besoin d'aide pour s'occuper de sa nombreuse progéniture. L'arrivée de Maria dans la famille bouleversera beaucoup de choses...

4 Aux États-Unis, dans les années 50, à la fin de l'été, Sandy et Danny doivent se résoudre à interrompre leur relation, car la jeune amoureuse doit retourner chez elle en Australie. Le hasard fait en sorte que Sandy ne quitte pas le pays et s'inscrit sans le savoir au même collège que Danny. Les tourtereaux reprendront leur relation après avoir surmonté bien des obstacles...

TROUVE L'INTRUS

Casse-noisette, créé par Tchaïkovski, est l'un des ballets les plus célèbres du monde. Il est encore joué partout à travers le monde à Noël. Dans le spectacle, on présente des danses de différentes cultures. Trouve laquelle de ces danses n'est pas dans *Casse-noisette.*

1- *La danse arabe*

2- *La danse indienne*

3- *La danse espagnole*

4- *La danse russe*

Réponses :

p. 8-9 : Le mot polka peut désigner plusieurs choses.
Laquelle de ces définitions est fausse ?

réponse : 4. Un vélo rudimentaire à trois roues.

p. 16-17 : Peux-tu associer ces différents styles de danse à leur description respective ?

réponse : 1. le breakdancing, breaking ou B-boying, 2. le locking,
3. le popping, 4. la hype

p. 28-29 : Tente d'associer l'histoire avec le titre de la comédie musicale.

réponse : 1. *Annie*, 2. *Mary Poppins*,
3. *La mélodie du bonheur (The Sound of Music)*, 4. *Grease*

p. 30-31 : Trouve laquelle de ces danses n'est pas dans *Casse-noisette*.

réponse : La danse indienne. C'est la danse chinoise
qui est aussi présentée dans le spectacle.

Québec ✚✚
**Crédit d'impôt
livres**   Gestion
SODEC
Gouvernement du Québec – Programme de crédit d'impôt
pour l'édition de livres – Gestion Sodec

ASSOCIATION
NATIONALE
DES ÉDITEURS
DE LIVRES

© **Les éditions les Malins inc.**

info@lesmalins.ca

Éditeur : Marc-André Audet
Auteure : Jessica Lupien
Correcteurs : Jean Boilard et Corinne De Vailly
Directrice artistique : Shirley de Susini
Mise en page : Diane Marquette, Shirley de Susini
Crédits image : Shutterstock et Flickr

Dépôt légal – Bibliothèque et Archives nationales du Québec, 2017
Dépôt légal – Bibliothèque et Archives Canada, 2017

ISBN : 978-2-89657-585-5

Imprimé en Chine.

Nous reconnaissons l'aide financière du gouvernement du Canada
par l'entremise du Fonds du livre du Canada pour nos activités d'édition.

Les éditions les Malins inc.
Montréal, Québec